© 1988 Sheldrake Publishing Ltd.

© 1989 Sté Nouvelle des Éditions du Chêne
pour l'édition en langue française

ISBN 2.85.108.602.2
34/0765/7

Dépôt Légal n° 2683 - janvier 1996

Imprimé au Portugal

Le Petit Répertoire

Kate Greenaway

CHÊNE

NOM
_____

ADRESSE
_____

_____

_____

TÉLÉPHONE
_____

NOM
_____

ADRESSE
_____

_____

_____

TÉLÉPHONE
_____

NOM

ADRESSE

TÉLÉPHONE

NOM

ADRESSE

TÉLÉPHONE

NOM

ADRESSE

TÉLÉPHONE

NOM

ADRESSE

TÉLÉPHONE

NOM

ADRESSE

TÉLÉPHONE

NOM

ADRESSE

TÉLÉPHONE

NOM

ADRESSE

TÉLÉPHONE

NOM

ADRESSE

TÉLÉPHONE

NOM

ADRESSE

TÉLÉPHONE

A

NOM

ADRESSE

TÉLÉPHONE

NOM

ADRESSE

TÉLÉPHONE

NOM

ADRESSE

TÉLÉPHONE

NOM

ADRESSE

TÉLÉPHONE

NOM

ADRESSE

TÉLÉPHONE

NOM

ADRESSE

TÉLÉPHONE

NOM

ADRESSE

TÉLÉPHONE

NOM

ADRESSE

TÉLÉPHONE

NOM

ADRESSE

TÉLÉPHONE

NOM

ADRESSE

TÉLÉPHONE

NOM

ADRESSE

TÉLÉPHONE

B

NOM

ADRESSE

TÉLÉPHONE

NOM

ADRESSE

TÉLÉPHONE

NOM

ADRESSE

TÉLÉPHONE

NOM

ADRESSE

TÉLÉPHONE

NOM

ADRESSE

TÉLÉPHONE

NOM

ADRESSE

TÉLÉPHONE

NOM

ADRESSE

TÉLÉPHONE

NOM

ADRESSE

TÉLÉPHONE

C

NOM

ADRESSE

TÉLÉPHONE

NOM

ADRESSE

TÉLÉPHONE

NOM

ADRESSE

TÉLÉPHONE

NOM

ADRESSE

TÉLÉPHONE

NOM

ADRESSE

TÉLÉPHONE

NOM

ADRESSE

TÉLÉPHONE

C

NOM

ADRESSE

TÉLÉPHONE

NOM

ADRESSE

TÉLÉPHONE

NOM

ADRESSE

TÉLÉPHONE

N O M
_____

A D R E S S E
_____

_____

_____

T É L É P H O N E
===============================

N O M
_____

A D R E S S E
_____

_____

_____

T É L É P H O N E
===============================

N O M
_____

A D R E S S E
_____

_____

_____

T É L É P H O N E
===============================

NOM

ADRESSE

TÉLÉPHONE

NOM

ADRESSE

TÉLÉPHONE

D

NOM

ADRESSE

TÉLÉPHONE

NOM

ADRESSE

TÉLÉPHONE

NOM

ADRESSE

TÉLÉPHONE

NOM

ADRESSE

TÉLÉPHONE

NOM

ADRESSE

TÉLÉPHONE

NOM

ADRESSE

TÉLÉPHONE

D

NOM

ADRESSE

TÉLÉPHONE

NOM

ADRESSE

TÉLÉPHONE

NOM

ADRESSE

TÉLÉPHONE

NOM

ADRESSE

TÉLÉPHONE

NOM

ADRESSE

TÉLÉPHONE

NOM

ADRESSE

TÉLÉPHONE

NOM

ADRESSE

TÉLÉPHONE

NOM

ADRESSE

TÉLÉPHONE

NOM

ADRESSE

TÉLÉPHONE

NOM

ADRESSE

TÉLÉPHONE

NOM

ADRESSE

TÉLÉPHONE

E

NOM

ADRESSE

TÉLÉPHONE

NOM

ADRESSE

TÉLÉPHONE

NOM

ADRESSE

TÉLÉPHONE

Nом

Adresse

Téléphone

Nом

Adresse

Téléphone

NOM

ADRESSE

TÉLÉPHONE

NOM

ADRESSE

TÉLÉPHONE

NOM

ADRESSE

TÉLÉPHONE

F

NOM
_____

ADRESSE
_____

_____

TÉLÉPHONE
_____

NOM
_____

ADRESSE
_____

_____

TÉLÉPHONE
_____

NOM
_____

ADRESSE
_____

_____

TÉLÉPHONE
_____

NOM

ADRESSE

TÉLÉPHONE

NOM

ADRESSE

TÉLÉPHONE

NOM

ADRESSE

TÉLÉPHONE

NOM

ADRESSE

TÉLÉPHONE

NOM

ADRESSE

TÉLÉPHONE

NOM

ADRESSE

TÉLÉPHONE

NOM

ADRESSE

TÉLÉPHONE

NOM

ADRESSE

TÉLÉPHONE

G

NOM

ADRESSE

TÉLÉPHONE

NOM

ADRESSE

TÉLÉPHONE

NOM

ADRESSE

TÉLÉPHONE

G

NOM Glorias Jewelry

ADRESSE

White Bear Lake

G

TÉLÉPHONE

NOM

ADRESSE

TÉLÉPHONE

NOM

ADRESSE

TÉLÉPHONE

NOM

ADRESSE

TÉLÉPHONE

NOM

ADRESSE

TÉLÉPHONE

NOM

ADRESSE

TÉLÉPHONE

NOM

ADRESSE

TÉLÉPHONE

NOM

ADRESSE

TÉLÉPHONE

NOM

ADRESSE

TÉLÉPHONE

NOM

ADRESSE

TÉLÉPHONE

NOM

ADRESSE

TÉLÉPHONE

NOM

ADRESSE

TÉLÉPHONE

NOM

ADRESSE

TÉLÉPHONE

NOM

ADRESSE

TÉLÉPHONE

NOM

ADRESSE

TÉLÉPHONE

NOM

ADRESSE

TÉLÉPHONE

NOM

ADRESSE

TÉLÉPHONE

NOM

ADRESSE

TÉLÉPHONE

NOM

ADRESSE

TÉLÉPHONE

NOM

ADRESSE

TÉLÉPHONE

NOM

ADRESSE

TÉLÉPHONE

NOM

ADRESSE

TÉLÉPHONE

NOM

ADRESSE

TÉLÉPHONE

NOM

ADRESSE

TÉLÉPHONE

NOM

ADRESSE

TÉLÉPHONE

NOM

ADRESSE

TÉLÉPHONE

NOM

ADRESSE

TÉLÉPHONE

NOM

ADRESSE

TÉLÉPHONE

NOM

ADRESSE

TÉLÉPHONE

NOM

ADRESSE

TÉLÉPHONE

NOM Jennifer (Nutrition World)

ADRESSE 708-1808?

TÉLÉPHONE

J

NOM

ADRESSE

TÉLÉPHONE

NOM

ADRESSE

TÉLÉPHONE

NOM

ADRESSE

TÉLÉPHONE

NOM

ADRESSE

TÉLÉPHONE

NOM

ADRESSE

TÉLÉPHONE

NOM

ADRESSE

TÉLÉPHONE

NOM

ADRESSE

TÉLÉPHONE

K

NOM

ADRESSE

TÉLÉPHONE

NOM

ADRESSE

TÉLÉPHONE

NOM

ADRESSE

TÉLÉPHONE

NOM

ADRESSE

L

TÉLÉPHONE

NOM

ADRESSE

TÉLÉPHONE

NOM

ADRESSE

TÉLÉPHONE

NOM

ADRESSE

TÉLÉPHONE

NOM

ADRESSE

TÉLÉPHONE

L

NOM

ADRESSE

TÉLÉPHONE

NOM

ADRESSE

L

TÉLÉPHONE

NOM

ADRESSE

TÉLÉPHONE

L

NOM

ADRESSE

TÉLÉPHONE

NOM

ADRESSE

TÉLÉPHONE

NOM

ADRESSE

TÉLÉPHONE

L

NOM

ADRESSE

TÉLÉPHONE

NOM

ADRESSE

L

TÉLÉPHONE

NOM

ADRESSE

TÉLÉPHONE

Nom

Adresse

Téléphone

Nom

Adresse

Téléphone

NOM

ADRESSE

TÉLÉPHONE

NOM

ADRESSE

TÉLÉPHONE

NOM

ADRESSE

TÉLÉPHONE

NOM

ADRESSE

TÉLÉPHONE

NOM

ADRESSE

TÉLÉPHONE

NOM

ADRESSE

TÉLÉPHONE

NOM
_____

ADRESSE
_____

_____

_____

TÉLÉPHONE
_____

NOM
_____

ADRESSE
_____

_____

_____

TÉLÉPHONE
_____

NOM
_____

ADRESSE
_____

_____

_____

TÉLÉPHONE
_____

NOM

ADRESSE

TÉLÉPHONE

NOM

ADRESSE

M

TÉLÉPHONE

NOM

ADRESSE

TÉLÉPHONE

NOM

ADRESSE

TÉLÉPHONE

NOM

ADRESSE

TÉLÉPHONE

NOM

ADRESSE

TÉLÉPHONE

NOM

ADRESSE

TÉLÉPHONE

NOM

ADRESSE

TÉLÉPHONE

NOM

ADRESSE

TÉLÉPHONE

NOM

ADRESSE

TÉLÉPHONE

NOM

ADRESSE

TÉLÉPHONE

NOM

ADRESSE

TÉLÉPHONE

NOM

ADRESSE

TÉLÉPHONE

NOM

ADRESSE

TÉLÉPHONE

NOM

ADRESSE

TÉLÉPHONE

NOM

ADRESSE

TÉLÉPHONE

NOM

ADRESSE

TÉLÉPHONE

NOM

ADRESSE

O

TÉLÉPHONE

NOM

ADRESSE

TÉLÉPHONE

NOM

ADRESSE

TÉLÉPHONE

NOM

ADRESSE

TÉLÉPHONE

NOM

ADRESSE

TÉLÉPHONE

NOM

ADRESSE

TÉLÉPHONE

NOM

ADRESSE

TÉLÉPHONE

P

NOM   Pink Closet Consignment.

ADRESSE

Ford Parkway

☆ Turn Style - Hyland (High

TÉLÉPHONE   Village Ro land

NOM

ADRESSE

TÉLÉPHONE   P

NOM

ADRESSE

TÉLÉPHONE

NOM
_____

ADRESSE
_____

_____

_____

TÉLÉPHONE
_____

NOM
_____

ADRESSE
_____

_____

_____

TÉLÉPHONE
_____

NOM
_____

ADRESSE
_____

_____

_____

TÉLÉPHONE
_____

NOM

ADRESSE

TÉLÉPHONE

NOM

ADRESSE

TÉLÉPHONE

P

NOM

ADRESSE

TÉLÉPHONE

NOM

ADRESSE

TÉLÉPHONE

NOM

ADRESSE

TÉLÉPHONE

NOM

ADRESSE

TÉLÉPHONE

NOM

ADRESSE

TÉLÉPHONE

NOM

ADRESSE

TÉLÉPHONE

Q

NOM

ADRESSE

TÉLÉPHONE

NOM

ADRESSE

TÉLÉPHONE

Q

NOM

ADRESSE

TÉLÉPHONE

NOM

ADRESSE

TÉLÉPHONE

NOM

R

ADRESSE

TÉLÉPHONE

R

NOM
_____

ADRESSE
_____

_____

_____

TÉLÉPHONE
_____

NOM
_____

ADRESSE
_____

_____

_____

TÉLÉPHONE
_____

NOM
_____

ADRESSE
_____

_____

_____

TÉLÉPHONE
_____

R

NOM

ADRESSE

TÉLÉPHONE

NOM

ADRESSE

TÉLÉPHONE

NOM

ADRESSE

TÉLÉPHONE

R

NOM

ADRESSE

TÉLÉPHONE

NOM

ADRESSE

TÉLÉPHONE

NOM

ADRESSE

TÉLÉPHONE

R

NOM

ADRESSE

TÉLÉPHONE

NOM

ADRESSE

TÉLÉPHONE

NOM

ADRESSE

TÉLÉPHONE

NOM

ADRESSE

TÉLÉPHONE

NOM

ADRESSE

TÉLÉPHONE

S

NOM

ADRESSE

TÉLÉPHONE

NOM

ADRESSE

TÉLÉPHONE

NOM

ADRESSE

TÉLÉPHONE

S

NOM

ADRESSE

TÉLÉPHONE

NOM

ADRESSE

TÉLÉPHONE

NOM

ADRESSE

S

TÉLÉPHONE

NOM

ADRESSE

TÉLÉPHONE

NOM

ADRESSE

TÉLÉPHONE

NOM

ADRESSE

TÉLÉPHONE

S

NOM

ADRESSE

TÉLÉPHONE

NOM

ADRESSE

TÉLÉPHONE

NOM

ADRESSE

S

TÉLÉPHONE

NOM

ADRESSE

TÉLÉPHONE

NOM

ADRESSE

TÉLÉPHONE

NOM

ADRESSE

TÉLÉPHONE

NOM

ADRESSE

TÉLÉPHONE

NOM

ADRESSE

TÉLÉPHONE

NOM

ADRESSE

TÉLÉPHONE

NOM

ADRESSE

TÉLÉPHONE

NOM

ADRESSE

T

TÉLÉPHONE

NOM

ADRESSE

TÉLÉPHONE

NOM

ADRESSE

TÉLÉPHONE

NOM

ADRESSE

TÉLÉPHONE

NOM

ADRESSE

TÉLÉPHONE

NOM

ADRESSE

TÉLÉPHONE

NOM

ADRESSE

T

TÉLÉPHONE

NOM

ADRESSE

TÉLÉPHONE

NOM

ADRESSE

TÉLÉPHONE

NOM

ADRESSE

TÉLÉPHONE

NOM

ADRESSE

TÉLÉPHONE

NOM

ADRESSE

TÉLÉPHONE

NOM

ADRESSE

TÉLÉPHONE

NOM

ADRESSE

TÉLÉPHONE

NOM

ADRESSE

TÉLÉPHONE

U
V

NOM

ADRESSE

TÉLÉPHONE

NOM

ADRESSE

TÉLÉPHONE

NOM

ADRESSE

TÉLÉPHONE

Nom

Adresse

Téléphone

Nom

Adresse

Téléphone

Nom

Adresse

Téléphone

NOM

ADRESSE

TÉLÉPHONE

NOM

ADRESSE

TÉLÉPHONE

W

NOM

ADRESSE

TÉLÉPHONE

NOM

ADRESSE

TÉLÉPHONE

NOM

ADRESSE

TÉLÉPHONE

W

NOM

ADRESSE

TÉLÉPHONE

NOM

ADRESSE

TÉLÉPHONE

NOM

ADRESSE

TÉLÉPHONE

W

NOM

ADRESSE

TÉLÉPHONE

NOM

ADRESSE

TÉLÉPHONE

NOM

ADRESSE

TÉLÉPHONE

NOM

ADRESSE

TÉLÉPHONE

NOM

ADRESSE

TÉLÉPHONE

NOM

ADRESSE

TÉLÉPHONE

W

NOM

ADRESSE

TÉLÉPHONE

NOM

ADRESSE

TÉLÉPHONE

X
Y
Z

NOM

ADRESSE

TÉLÉPHONE

NOM

ADRESSE

TÉLÉPHONE

NOM

ADRESSE

TÉLÉPHONE

X Y Z

NOM

ADRESSE

TÉLÉPHONE

NOM

ADRESSE

TÉLÉPHONE

NOM

ADRESSE

TÉLÉPHONE

X
Y
Z